Pour la première édition
publiée par Kingfisher Books,
dans la collection *My Little Library*,
sous le titre *Creepy crawlies* :
© Larousse plc 1994

Pour l'édition française :
© Nathan, Paris 1994

ISBN : 2.09.204 922-4
Numéro d'éditeur : 100 24 155

Illustrations éditées en 1988
sous le titre *Stepping stones small animals* ;
Pages 9, 13 et 20 : Maggie Brand
(Maggie Mundy Agency)

Les mots en italique sont expliqués pages 28 et 29.

Les Petites Bêtes

Michael Chinery

illustré par Ian Jackson

NATHAN

Sommaire

De minuscules animaux

Autour de nous vivent des centaines
de petites bêtes comme les vers,
les mille-pattes, les mouches ou
les araignées. Ces mal-aimés
nous effraient bien souvent malgré
leur petite taille.

Bon nombre
de petites bêtes
sont si petites que
tu ne peux les voir...

qu'à la loupe.

Observons les tout petits animaux

Il faut être bien attentif et patient pour observer les *insectes* et les petites bêtes. Elles se cachent souvent durant la journée ou se camouflent pour ne pas être mangées par les oiseaux.

Une araignée

Les araignées sont souvent sur les feuilles ou les branches. Le mille-pattes se dissimule dans des recoins obscurs.

Le mille-pattes

FABRIQUE UN PIÈGE

Un piège t'aidera à attraper des insectes trop petits pour être pris entre deux doigts.

1 Perce deux trous sur le couvercle d'une boîte en plastique.

2 Prends deux pailles. Entoure l'extrémité de l'une d'elles avec un petit bout de gaze.

4 Tu peux maintenant capturer des petites bêtes en aspirant doucement par la paille entourée de gaze.

3 Introduis les pailles dans les trous et fixe-les avec de la pâte à modeler.

Sois doux avec les petites bêtes. Pour elles, tu es un véritable géant.

Se protéger

Les petits animaux se protègent
de leurs *prédateurs* de différentes
manières. La larve du cercopide,
par exemple, s'entoure d'une sorte
de mousse qu'elle produit.

Le criquet et la cicadelle se voient
difficilement car ils sont verts
comme l'herbe. La punaise se repère
facilement mais les oiseaux sont
repoussés par son odeur nauséabonde.
Le scarabée bombardier injecte
un poison à ses ennemis.

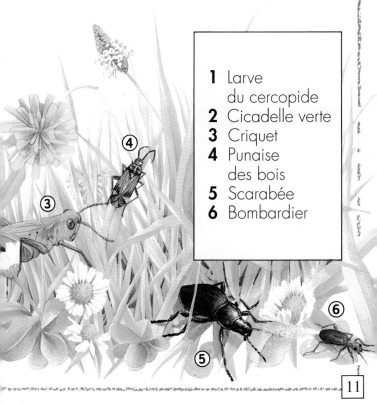

1 Larve
  du cercopide
2 Cicadelle verte
3 Criquet
4 Punaise
  des bois
5 Scarabée
6 Bombardier

La vie de l'étang

Beaucoup d'insectes vivent autour d'un étang ou d'un point d'eau. Certains passent même leur vie dans l'eau. Les œufs de la libellule éclosent dans l'eau qu'elle quitte pour se *métamorphoser.*

Libellule adulte

La jeune libellule qui sort de l'œuf n'a pas d'aile ; c'est une larve. Elle vit deux ou trois ans au fond de l'eau puis sort sur une branche et se métamorphose en libellule.

CONSTRUIS UNE LIBELLULE

1 Gonfle un long ballon et tords-le de manière à en en faire trois parties isolées par un élastique. Recouvre le ballon de papier collé.

2 Peins le papier de couleurs vives.

3 Avec un fil de fer léger, forme les ailes et recouvre-les de papier de soie.

4 Coupe une balle de ping-pong en deux pour faire les yeux.

5 Colle six nettoie-pipe qui feront les pattes.

13

Les vers

Les vers de terre vivent sous la terre
où ils creusent des tunnels.
Ils avalent la terre, se nourrissant
de petites plantes, et la rejettent
par l'autre extrémité de leur corps.

Les vers viennent souvent à la surface pour manger quelques feuilles ou les mettre de côté dans leur galerie. Par prudence, ils laissent souvent une partie de leur corps dans la galerie pour battre en retraite.

Ce vers n'est pas rentré assez vite ; l'oiseau s'en régale !

Les fourmis au travail

Les fourmis vivent en colonies.
Leur nid, la fourmilière, est creusé
dans le sol. Chaque fourmi a une
tâche bien précise : seule la reine
pond des œufs, et pendant que
certaines ouvrières entretiennent
le nid, d'autres vont chercher
de la nourriture.

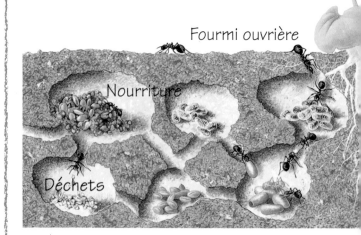

Fourmi ouvrière

Nourriture

Déchets

Toutes les fourmis ne vivent pas sous terre ; certaines construisent un monticule de terre et de débris végétaux dans lequel elles creusent des galeries.

Les ouvrières surveillent les œufs et les larves.

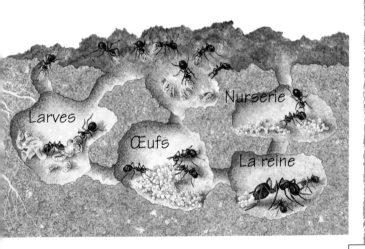

Larves

Œufs

Nurserie

La reine

Guêpes et abeilles

Les abeilles vivent en communauté
dans une ruche. Chaque ruche
renferme une reine et des centaines
d'ouvrières. Tous les jours la reine
dépose des œufs dans une alvéole
de cire. Les ouvrières construisent
les alvéoles.

*Ces ouvrières ramassent du pollen
et du nectar de différentes fleurs
pour en faire du miel.*

La reine pond un œuf (1). Au bout de trois jours l'œuf éclôt (2). Les ouvrières nourrissent alors la larve de pollen et de miel pendant neuf jours (3). Quand la larve a atteint sa taille maximale, les ouvrières ferment l'alvéole avec de la cire (4). La larve se change en *chrysalide* (5) qui devient une abeille dix jours plus tard (6).

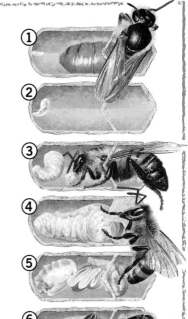

Les guêpes vivent également dans des nids. Les adultes se nourrissent de nectar et de fruits, les larves sont nourries avec des insectes.

Les papillons

Le papillon pond ses œufs sur des feuilles. Chaque œuf donne une *larve* : la chenille. La chenille se nourrit de feuilles, grossit et se transforme en chrysalide entourée d'un robuste *cocon*.

LES AILES DE PAPILLON

Voici comment faire de splendides ailes de papillon bien symétriques. Fais de larges taches de peinture sur un des côtés d'une feuille pliée en deux. Rabats les deux moitiés l'une sur l'autre et ouvre délicatement la feuille.

À l'abri de son cocon, le jeune papillon se forme. Lorsqu'il a atteint sa taille il brise le cocon et s'envole.

6 Le papillon s'envole

3 La chenille

1 La ponte d'un œuf

4 Le cocon

2 L'éclosion de l'œuf

5 L'éclosion du cocon

Coccinelles et escargots

La coccinelle se reconnaît facilement
à ses couleurs vives. Ses taches
noires sur fond rouge indiquent
aux oiseaux qu'elle n'est pas bonne
à manger. Les coccinelles sont
appréciées des jardiniers car
elles se nourrissent de pucerons.

Les escargots rentrent
la plupart du temps
dans leur coquille.
Ils sortent pour
se nourrir.

1 La ponte

2 L'éclosion
des œufs

3 La chrysalide

4 Larve
mangeant
des pucerons

5 Une jeune
coccinelle

Les araignées

Les araignées tissent de larges toiles pour capturer de petits insectes qui volent. La toile est faite d'un entrelacs de fils de soie que l'araignée produit elle-même.

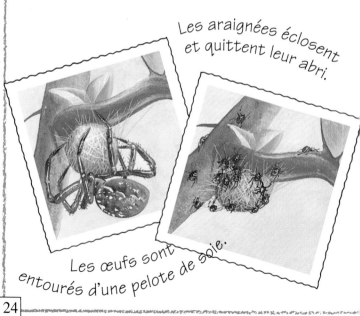

Les araignées éclosent et quittent leur abri.

Les œufs sont entourés d'une pelote de soie.

Parfois, la toile est enduite d'une sorte de glu pour mieux capturer les proies. L'araignée attend patiemment qu'un insecte se prenne dans ses fils. Elle ligote alors son prisonnier afin qu'il ne s'échappe pas.

Les petites bêtes
de la maison

De nombreuses petites bêtes vivent
autour de nous dans nos maisons.
Dans la salle de bains, il est fréquent
de trouver une araignée. La nuit,
plein de petits bruits
indiquent la présence
d'insectes.

La mouche entre
dans la maison
pour se nourrir.

L'araignée a bien du mal à remonter la baignoire.

Le faucheux est un insecte très fin.

La mouche attrape sa nourriture par une trompe.

27

Quelques mots difficiles

Chrysalide Avant de se transformer
en papillon, la chenille devient
une chrysalide.

Cocon Enveloppe qui contient
la chrysalide.

Insecte Petit animal sans squelette
qui a 6 pattes et souvent des ailes.
Les mouches, les moustiques, les
fourmis, les guêpes... sont des insectes
mais pas les araignées (elles ont huit
pattes).

Larve Avant de devenir adultes, certains animaux comme la libellule ou le papillon sont des larves.

Métamorphose Transformation de certains animaux ; la chenille se métamorphose en papillon.

Ponte Moment où la femelle pond des œufs.

Prédateur Animal qui chasse d'autres animaux pour se nourrir.

Éclosion Moment où le petit casse sa coquille et sort de l'œuf.